글·그림 **하라다 요시코**
군마현에서 태어나 1992년, 도쿄예술대학대학원
미술연구과 디자인 전공 석사과정을 수료했으며,
2001년, 영국 울버햄튼대학대학원 미술연구과 석사과정을 수료했습니다.
영국에서 지낼 때, 밤마다 집 마당에 찾아오는 고슴도치를 만난 뒤로
그 사랑스러움에 푹 빠졌답니다.

옮긴이 **고향옥**
대학과 대학원에서 일본 문학을 전공하고,
일본 나고야 대학교에서 일본어와 일본 문화를 공부했어요.
『러브레터야, 부탁해』로 2016년 국제아동청소년도서협의회(IBBY)
어너리스트 번역 부문에 선정되었습니다.
옮긴 책으로는 『이게 정말 사과일까?』, 『있으려나 서점』,
『귀명사 골목의 여름』, 『오늘도 너를 사랑해』,
『민담의 심층』 등이 있습니다.

"흐음, 소포가 오려나 모르겠네….”
"소, 포요?”
걱정하는 양 할머니에게 고슴도치는….

고슴도치의  눈사람

하라다 요시코 글·그림 / 옮긴이 고향옥

눈이 많이 내린 어느 날이에요.

"할머니! 제가 눈사람을 만들었어요!"
"어머나, 눈사람이 아주 귀엽구나."
양 할머니가 작은 접시에
눈사람을 담아 주었어요.

밖에는 눈이 펑펑 내리고 있어요.
양 할머니가 창밖을 보며 말했어요.
"흐음, 눈이 많이 와서 소포가 오려나 모르겠네….”
"소, 포요?”

"그래, 소포. 시내에서 물건을 많이 샀거든.
우체부 아저씨한테 부탁했는데….”
걱정하는 양 할머니에게 고슴도치가 말했어요.
“걱정 마세요, 할머니. 꼭 올 거예요.”

하지만 아무리 기다려도
소포는 오지 않았어요.
눈은 그칠 줄 모르고 펑펑 내리고 있어요.
눈송이도 점점 커졌지요.

"할머니, 잠깐 밖에 나갔다 올게요."
안절부절못하던 고슴도치는 밖으로 뛰어나갔어요.

"우체부 아저씨가 할머니 집을 잘 찾아올 수 있을까?
소포가 안 오면 할머니가 실망하실 거야….”
고슴도치는 새하얀 언덕을 올려다보았어요.

데굴 데굴 꾹 꾹.
데굴 데굴 꾹 꾹.

눈뭉치를 대구르르.

고슴도치의 자그마한 손이
꽁꽁 얼었어요.

꽁꽁 언 손으로 커다란 눈덩이를 굴리려다
그만….
"으아앗!"

"으으, 손 시려.
눈덩이가 너무 무거워…."

고슴도치는 할머니가 짜 준 빨간 목도리를
단단히 둘러맸어요.
그리고….

다시 커다란 눈덩이를 굴리기 시작했어요.

마침내 눈사람이 완성됐어요.
"눈사람아, 나 대신 여기에 서 있어 줘.
그리고 우체부 아저씨를 만나면
할머니 집을 가르쳐줘야 해."
고슴도치는 눈사람에게 말했어요.

양 할머니 집으로 돌아가자 할머니는
고슴도치를 포근한 담요로 감싸 주었어요.
"어서 오렴.
저런, 손이 꽁꽁 얼었구나.
따뜻한 코코아를 타줄게."

타닥타닥 타닥.

장작불 타는 소리가 조그맣게 들렸어요.

똑 똑 똑.

문 두드리는 소리가 났어요.

"우체부입니다. 소포 배달 왔어요."

고슴도치는 얼른 문을 열어 주었어요.
"안녕! 여기가 양 할머니 집이니?"
"예, 맞아요!"
고슴도치가 기쁜 얼굴로 대답했어요.
"네가 저 커다란 눈사람을 만든 거냐?
덕분에 양 할머니 집을 잘 찾아왔단다. 고맙구나."
우체부 아저씨는 부끄러워하는 고슴도치를 보고
빙그레 웃으며 소포를 탁자까지 가져다주었어요.

고슴도치가 말했어요.
"할머니, 제가 눈사람을 만들면서 빌었어요,
 소포가 꼭 오게 해 주세요, 하고요."
"오오, 그랬구나!"
양 할머니는 감동한 얼굴로 고슴도치를 바라보았어요.

"고맙구나.
자…, 받으려무나."
할머니는 소포 꾸러미를 풀고
빨간 리본이 묶인 상자를 꺼냈어요.
"어, 저한테 주시는 거예요?"

리본을 풀자 알록달록 예쁜 나무 블록이 나왔어요.
"우아, 블록이다! 할머니, 고맙습니다!
토끼랑 다람쥐랑 같이 신나게 놀아야지!"
양 할머니는 고슴도치를 보고 빙그레 웃었어요.

고슴도치가 말했어요.
"할머니, 저랑 같이 블록 기차 만들어요."
양 할머니는 흐뭇한 얼굴로 대답했어요.
"그래, 그러자꾸나."

소리 없이 눈이 그치고,
할머니 집 뒤로 난 오솔길은 반짝반짝 빛났어요.

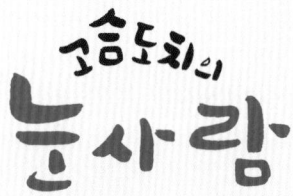

2025년 12월 10일 1판 1쇄 인쇄
2025년 12월 24일 1판 1쇄 발행

글·그림 하라다 요시코
옮긴이 고향옥

발행인 | 황민호
캐릭터비즈사업본부장 | 석인수
디자인 | 디자인 쿠키 발행처 | 대원씨아이(주) www.dwci.co.kr
주소 | 서울시 용산구 한강대로15길 9-12
전화 편집 | 02-2071-2151 영업 | 02-2071-2066 팩스 | 02-794-7771
등록번호 | 1992년 5월 11일 등록 제3-563호

ISBN | 979-11-423-2745-2 07830
ISBN | 979-11-423-2742-1 (세트)

HARINEZUMIKUN NO YUKIDARUMA
ⓒ Yoshiko HARADA 2021
All rights reserved.
Original Japanese edition published by KODANSHA LTD.
Korean translation rights arranged with KODANSHA LTD.
through COMPANY B.A